inspiré par **playmobil**

Plus forts que
le mauvais sort !

inspiré par **playmobil**®

Plus forts que
le mauvais sort !

hachette
JEUNESSE

Alex

Le prince Alexandre est l'héritier du trône de Médiévalia. C'est également un chevalier hors pair, qui adore parcourir les cinq îles pour vivre de nouvelles aventures. Son père, le roi Kenric, peut toujours compter sur lui pour protéger Médiévalia des attaques des pirates et de l'affreux Baron Noir...

Ruby

Ruby est une vraie pirate, qui ne craint rien ni personne ! Et comme tous les pirates, elle est attirée par ce qui brille et rêve de découvrir un trésor ! Courageuse et spontanée, elle est prête à affronter tous les dangers pour venir en aide à ses amis... Mais chut ! C'est un secret...

Gene

Gene est un scientifique de Technopolis. Il garde toujours les pieds sur terre et cherche une explication logique à tout... ce qui agace parfois ses amis ! C'est aussi un inventeur de génie. C'est lui qui a mis au point le Caméléon, le véhicule tout terrain avec lequel la petite bande parcourt le monde !

Étincelle

Étincelle est une fée prometteuse... qui doit encore apprendre à contrôler sa baguette magique ! Toutefois, ses amis lui pardonnent volontiers sa maladresse, car elle déborde d'enthousiasme et de gentillesse. Mais, attention, Étincelle déteste l'injustice et ne craint pas de le faire savoir !

Alien

Quand Étincelle a découvert ce petit être sur l'Île Perdue, elle l'a trouvé tellement mignon qu'elle a décidé de l'adopter ! Depuis, Alien accompagne la bande dans toutes ses aventures. Drôle, affectueux et parfois un peu peureux, il est devenu la mascotte du groupe !

Le Caméléon

Le monde de Super 4 est constitué de cinq îles très différentes les unes des autres : Technopolis, Médiévalia, l'Île Enchantée, l'Île Perdue et l'Île de la Poudrière. Pour voyager d'un monde à l'autre, nos héros utilisent le Caméléon, un véhicule extraordinaire ! Bourré de gadgets, il se transforme à volonté pour s'adapter aux différents mondes : c'est un atout majeur dans les explorations de l'équipe !

Pas un chat au château !

Transformé en char de combat, le Caméléon franchit le pont-levis du château de Médiévalia. À son bord, Alex trépigne. C'est un grand jour : un jour de tournoi !

– Je ne te comprends vraiment pas, soupire Ruby. Un tournoi, ça n'a rien d'exceptionnel…

– Comment ? s'énerve Alex, sous les regards amusés de Gene et d'Étincelle. Un tournoi, c'est extraordinaire ! C'est magique !

Et il mime un chevalier, sa lance à la main, sur son intrépide destrier, prêt à renverser son adversaire. Gene est consterné. Il gare le Caméléon au pied de la tour de guet et ouvre les portes. Alex bondit.

— À cheval, compagnons ! clame-t-il en humant l'air à pleins poumons, le torse bombé.

Ruby, Gene et Étincelle le suivent, perplexes.

— *Snif, snif...* Vous sentez ce parfum ? demande Alex.

Personne ne sent quoi que ce soit. Le prince avance à grands pas en direction de la cour et poursuit :

– C'est le parfum des grands moments, comme celui qui va avoir lieu aujourd'hui devant une foule immense, venue des quatre coins du royaume !

Ruby tourne la tête de tous côtés, imitée par Gene, Étincelle, Alien… et Alex.

– Ah oui, une foule immense ! se moque la pirate.

Il n'y a pas un chat, ou plutôt si : il y a un seul chat, perdu au milieu de la cour, qui s'enfuit en miaulant.

Miaou !

Peu après, Alex ouvre la porte de l'immense salle du trône, tout aussi vide. Il n'y a plus un garde, plus un chevalier, plus une servante dans les parages.

– Hou, hou ! Où êtes-vous ? appelle le prince.

Mais seul l'écho de sa voix lui répond.

Aux aguets, comme toujours, Ruby remarque alors trois tapisseries tendues entre les piliers de la salle.

– À mon avis, ce sont ces horreurs qui les ont fait fuir. Vous avez vu comme c'est laid !

Gene et Étincelle la rejoignent et observent les tentures avec attention.

Sur la première est représentée la salle du trône avec la princesse Léonore, le roi Kenric et ses chevaliers à la queue-leu-leu derrière eux.

— Il est vrai que la broderie manque de finesse, admet Gene.

Sur la seconde, un troll vert géant est représenté au milieu de la salle de la table ronde.

— Un troll ? C'est n'importe quoi ! commente Ruby.

— Personnellement, j'aurais mis plus de couleurs. Du rose,

par exemple ! ajoute Étincelle, face à la troisième tapisserie, sur laquelle des petites clés d'or flottent dans un corridor tout gris.

– Des clés qui volent ! ricane Ruby. Tu crois qu'elles ouvrent un coffre, au moins ?

– Il faut respecter la démarche conceptuelle de l'artiste... explique Gene.

Étincelle l'interrompt :

– Il peut marcher comme il veut, l'artiste, ce qui est sûr, c'est qu'il ne sait pas broder !

– Bon, prévenez-moi quand vous aurez fini de parler décoration ! intervient Alex.

Il lui paraît plus important de commencer par trouver où les habitants du château ont bien pu passer.

– Euh... Je vole à l'étage ! propose Étincelle.

– Et moi, dans la cuisine ! annonce Ruby avec gourmandise.

Gene contrôle avec son radar la salle de la table ronde, pendant qu'Alex ouvre les portes des chambres, les unes après les autres. Mais les amis arrivent à la même conclusion : tout le monde s'est volatilisé, comme par enchantement.

Dans la cour, Étincelle vérifie une dernière fois qu'il n'y a personne au fond du puits. Gene et Alex s'interrogent sur ce qui a pu se produire, quand soudain Ruby, postée sur le chemin de ronde avec sa longue-vue, les appelle :

– Aleeerte ! Le Baron Noir et deux calamars arrivent !

Et la pirate est prête à parier son chapeau que ce n'est pas pour le tournoi…

Le Baron Noir

Alex, Gene et Étincelle se précipitent avec Alien en haut de la muraille. Cachés derrière les créneaux, ils observent avec Ruby l'arrivée de leur ennemi de toujours : l'infâme Baron Noir.

En selle sur leurs destriers, le baron, son fidèle chevalier, Rypan, et Fourchesac, le sorcier, s'avancent tranquillement sur le pont de pierre qui mène à l'entrée de la forteresse.

– Je suis sûr qu'ils veulent s'emparer du château ! murmure Alex, la main sur le pommeau de son épée.

– À trois ? Cela me paraît peu pour tenir un siège… rétorque Gene.

– Ou alors, il sait déjà que le château est vide, ajoute Ruby.

Étincelle s'affole en réalisant à son tour que tous les gardes ont disparu. Comment vont-ils faire pour défendre le château ? Alien serre ses petits poings. Il est prêt à combattre tous les vilains.

— Suivez-moi ! s'écrie Alex, bien décidé à ne pas laisser le baron envahir les lieux.

Face à la porte principale du château, le baron se réjouit déjà de devenir le nouveau seigneur de Médiévalia.

— C'est presque trop facile de s'approprier un château vide, n'est-ce pas, Rypan ? ricane-t-il.

— Attention ! prévient le chevalier au moment où la grille du pont-levis descend brusquement devant eux pour leur barrer le passage.

— Comment ? s'offusque le Baron Noir en se tournant vers

Fourchesac. Il y a encore quelqu'un pour manœuvrer la herse ?

Le sorcier n'y comprend rien. Il a pourtant livré ses tapisseries en temps et en heure, et le charme aurait dû agir…

– Il semble que messire Alexandre et ses amis y soient pour quelque chose… souffle Rypan.

Et en effet, de l'autre côté de la grille, le prince les fixe avec dédain.

– Oh non ! Pas ces empêcheurs
de s'emparer du trône en rond !
se désole le Baron Noir.

– Et si ! réplique Alex en croi-
sant les bras. Ce château n'est
pas à prendre, désolé ! Alors,

faites demi-tour et rentrez chez vous !

Le Baron Noir est furieux. Son chevalier lui murmure qu'il peut vaincre cinq défenseurs, dont un alien, en deux coups d'épée. Mais donner l'assaut *illico presto* paraît trop risqué au baron.

– Allons chercher du renfort ! Hue ! s'écrie-t-il en faisant claquer les rênes de sa monture.

– Au galooooop ! renchérit Fourchesac.

Alex regarde s'éloigner les trois cavaliers. Le danger est écarté pour le moment, mais il ne sait toujours pas où ont bien pu passer son père et ses plus fidèles sujets.

Dans la salle du trône, Gene et Étincelle tentent de remonter le moral du prince.

– Ce n'est pas bien grave si le Baron Noir met la main sur le château. On pourra toujours le lui reprendre une fois qu'on aura retrouvé ton père et son armée ! réfléchit la fée à voix haute.

– Impossible ! Un roi et son château ne font qu'UN ! Si le château tombe, le roi tombe ! murmure alors une toute petite voix.

– Gene a raison, soupire Alex.

– Mais je n'ai rien dit ! se défend son ami.

– C'est moi qui ai parlé, nom d'un dragon ! reprend la voix.

Étincelle voltige de stupeur et s'approche de la tapisserie n° 2, celle de la salle du trône. C'est de là que vient la voix, elle en est sûre. Alex la suit.

– Non, ce n'est pas possible ! souffle-t-il.

Le prince pose son oreille contre la miniature brodée du roi Kenric.

– Mon cher fils, tu dois nous libérer…

Alex sursaute. C'est bien son père qui s'adresse à lui !

– Ce gredin de Fourchesac nous a emprisonnés dans la tapisserie. Délivre-nous, je t'en supplie ! poursuit le roi.

– Gene ! s'écrie Alex. Mon père a été enfer…

– J'ai entendu, merci ! le coupe Gene.

Alex commence à réfléchir, quand la porte de la salle s'ouvre brusquement.

– À la rescousse ! Le baron est à deux lieues d'ici avec du renfort ! hurle Ruby.

29

Et cette fois, il est accompagné d'un énorme colosse…

– J'arrive ! s'exclame Alex en la suivant jusqu'à la tour de guet.

Puis il ajoute à l'intention d'Étincelle :

– Je compte sur toi et ta baguette pour libérer mon père et sa cour !

Vite, une formule magique !

Étincelle se concentre très fort face à la tapisserie, brandit sa baguette et prononce… la première formule qui lui passe par la tête :

– Que le roi Kenric et sa cour retrouvent la lumière du jour !

Instantanément, les pattes, puis le ventre et enfin la tête d'Alien disparaissent. La petite créature réapparaît aussitôt à l'intérieur de la tapisserie.

– Qu'est-ce que tu as fait ? s'écrie Gene, énervé. Il faut faire sortir les gens de la tapisserie, pas nous y faire entrer !

– Je suis désolée. Parfois, je mélange les sorts, s'excuse la fée.

À cet instant, Alex et Ruby accourent dans la salle. Ils ne savent pas du tout comment ils vont pouvoir vaincre l'armée du Baron Noir et constatent, un peu déçus, qu'Étincelle n'a pas réussi à délivrer le roi et sa suite.

– Son coup d'essai n'était pas vraiment un coup de maître, se moque Gene.

– Attendez un peu ! Cette fois-ci, ça va marcher ! réplique la fée, vexée.

Et *zou !* Elle agite sa baguette dans tous les sens et prononce à toute vitesse :

– Que mon pouvoir magique libère le roi Kenric !

Le résultat est... catastrophique ! Ce sont Étincelle et Gene qui se

retrouvent enfermés à leur tour
dans la tapisserie.

– Étincelle ! Gene ! Revenez !
les supplie Alex en observant,
médusé, ses amis devenus des
petites broderies.

– Les troupes du Baron Noir approchent... lui rappelle Ruby.

– Allez vous occuper d'eux ! dit la petite voix de la fée depuis la tapisserie. Avec Gene, on va sortir tout le monde de là, et on vous rejoindra !

– Très bien ! répond Alex en entraînant Ruby avec lui.

Une fois dans la cour déserte, la pirate s'inquiète pour de bon :

– À deux, tu crois qu'on peut réussir à les vaincre ?

Alex bute dans un casque de soldat oublié sur le sol. Et soudain, il a une idée ! Avec un bâton, il maintient le casque en l'air, comme s'il s'agissait d'un garde.

– Il suffira de leur faire croire que nous sommes plus nombreux ! annonce-t-il avec malice.

Ruby a compris. Pendant qu'elle rassemble des lances, des casques et des boucliers, Alex s'occupe de fabriquer des socles pour les mannequins de bois.

– Je ne savais pas que tu étais menuisier ! plaisante Ruby.

– Un chevalier a de multiples talents ! se vante Alex.

Tous deux calent des bottes de paille sous les casques des faux soldats. Quelques minutes plus tard, Ruby et Alex admirent leur armée, qui se dresse entre les créneaux du château, prête à combattre.

Pendant ce temps, dans la tapisserie de la salle du trône, la princesse Léonore commence à s'impatienter.

– Dépêche-toi de prononcer une formule magique, Étincelle ! Je n'en peux plus !

– La magie n'est pas une science. Et je doute qu'elle puisse nous venir en aide, rétorque Gene.

Léonore est encore plus furieuse. Une fée qui ne fait pas de magie, c'est comme une princesse sans robe de bal : déprimant !

— Dites donc, Majesté… se vexe Étincelle.

Mais Gene l'interrompt d'un geste avant qu'elle ne brandisse sa baguette. Il reconnaît que tout son savoir est impuissant, lui aussi, dans cette situation.

— Ce qu'il faudrait, c'est sortir d'ici, conclut-il.

— Sortir ? répète Étincelle. Mais regarde, c'est très simple : il suffit d'ouvrir la porte !

Et dans le décor de la tapisserie, elle pousse une porte en bois, qui donne sur un corridor…

Non loin de là, sur le pont-levis du château, le Baron Noir, lui, s'apprête à entrer avec son armée.

– Arrière ! l'interpelle alors Alex du haut de la muraille. Ce château n'est pas à prendre !

Le Baron Noir lève les yeux et découvre, horrifié, des silhouettes de soldats qui s'agitent de haut en bas derrière les créneaux.

– Continue… murmure Alex à Ruby, qui, cachée derrière les remparts, actionne la manivelle qui permet de faire bouger les mannequins.

Au pied de l'enceinte, sire Rypan propose de se replier, et Fourchesac s'affole :

– Ils doivent être des dizaines… Nous n'avons aucune chance !

– Je vous paie pour jeter des sorts, Fourchesac, pas pour faire des commentaires sportifs ! s'énerve le baron. Et encore, vous êtes nul en sorts ! Vos tapisseries étaient censées emprisonner tous les habitants du château !

Ruby ne résiste pas à l'envie de les narguer. Elle lâche la manivelle et bondit sur l'un des créneaux, sabre à la main.

– Votre plan tombe à l'eau, Baron des Calamars ! Vous allez servir de repas aux re…

La pirate s'interrompt. Elle vient de donner un grand coup de sabre à l'un des mannequins, qui s'écroule et provoque une véritable hécatombe de l'armée de paille.

– *Oups !* lâche Ruby, sous le regard furieux d'Alex.

– Hé, hé, pas mal, le coup des faux soldats… murmure le baron.

Puis il s'exclame en fendant l'air de son épée :

– À mon commandement, chargez !

– Je pense que vous n'avez plus besoin de moi, murmure Fourchesac en s'éclipsant discrètement. J'ai de nouvelles potions à préparer… Au revoir !

D'une seule main, le colosse qui accompagne le Baron Noir soulève la herse de la porte du château.

– À l'attaque ! crient les soldats en se ruant dans la cour.

Face à eux, Alex et Ruby sont prêts à livrer un combat sans merci.

Pourvu qu'Étincelle et Gene libèrent mon père et ses gardes ! pense le prince.

Au même moment, ses deux amis pénètrent justement dans une nouvelle pièce de la tapisserie.

– Franchement, ouvrir une porte, cela n'a rien de magique ! commente Gene avec dédain.

– Mais si ! C'est une porte magique ! réplique la fée.

Alien tire sur le pantalon de Gene pour attirer son attention. Il y a un gros monstre tout vert juste derrière eux !

– Et... et lui ? Il est... ma... magique aussi ? bafouille soudain Gene.

Ils réalisent qu'ils sont dans la tapisserie de la table ronde et que le troll géant, armé d'une massue, n'a pas l'air content du tout de les voir.

– Bon, que fait-on, maintenant ? demande Gene, en évitant de peu d'être ratatiné sur le sol.

La petite fée brandit sa baguette et tente un sort :

– Deviens petit comme un radis ! ordonne-t-elle.

Mais la poudre d'étoiles magique de la baguette chatouille tout juste le crâne du troll.

– Oh non ! se lamente Gene.

Il pianote sur son holopad, à la recherche d'informations sur les trolls.

Affolé, Alien grimpe le long de la jambe du monstre, puis de son bras. Enfin, il bondit sur sa tête pour atteindre le lustre du plafond.

Hop !

Le troll se met à rétrécir.

– Recommence ! Saute encore sur sa tête ! l'encouragent Gene et Étincelle.

Alien s'exécute, et le géant vert devient alors aussi petit que lui.

– Trop mimi ! s'exclame Étincelle, avant d'entraîner ses amis et le mini-troll vers la sortie. J'ai tout compris, ajoute-t-elle. C'est comme dans mon jeu vidéo préféré ! Maintenant, il faut récupérer les clés dans la troisième tapisserie pour pouvoir mettre un terme à ce mauvais sort !

– Touché ! annonce la fée en tapant avec sa baguette sur la première clé.

Celle-ci disparaît aussitôt dans une poussière d'or. À son tour, Gene se lance et bondit sur les marches de pierre du corridor pour toucher du bras une, deux, trois autres clés !

– Super score ! le félicite son amie.

Mais un mini-dragon attaque !
Vite, la fée le fait disparaître avec
sa baguette et évite à Gene d'être
éliminé par un jet de flammes.

– À toi, Alien ! crient-ils tous
les deux.

Propulsée dans les airs par la massue du mini-troll, la mascotte atteint les trois dernières clés. *Clic ! Clic ! Clic !*

Étincelle virevolte de joie :

– C'est gagné !

Pendant ce temps, dans la cour du château, Alex et Ruby sont désemparés face aux soldats du Baron Noir.

– Ils sont trop nombreux ! Battons en retraite ! souffle le chevalier à Ruby, qui résiste tant bien que mal avec son sabre.

Tous deux filent se réfugier dans la salle du trône.

– Inutile de courir, jeunes gens ! leur lance le Baron Noir. Vous serez les premiers prisonniers de MES oubliettes, je vous le promets ! Ha ! Ha ! Ha !

Vite ! Ruby et Alex parviennent à refermer les portes du château au nez des soldats. Mais des coups monstrueux font bientôt trembler le bois.

– Oh non, pas lui ! murmure Ruby.

Dans un fracas énorme, le colosse noir entre de force et propulse Alex et Ruby à l'autre bout de la pièce.

– Hou, hou ! chante le baron, triomphant, en s'avançant vers eux. Le temps est venu de goûter la paille de mes ca...

– Bonjour, baron ! l'interrompt soudain la voix… du roi Kenric !

Le retour du roi

Au milieu de la salle du trône, le roi, ses chevaliers, ses gardes et la princesse Léonore apparaissent sous le regard médusé du Baron Noir. Ils sont entourés par Gene, Alien,

Étincelle et le troll vert...
redevenu un géant. Le baron
n'arrive même plus à parler.

– C'est magique, n'est-ce pas ?
demande Étincelle.

– Ce n'était pas vraiment de la
magie ! précise Gene. Il fallait

juste attraper des clés pour sortir !

Étincelle désigne le Baron Noir du doigt et chuchote à l'oreille du troll :

– C'est lui le méchant qui t'a enfermé dans la tapisserie !

Dans un rugissement qui fait trembler toutes les tours du château, le géant vert se lance alors à la poursuite du baron, des soldats et même du colosse, qui paraît minuscule à côté de lui.

– Ha ! Ha ! Ha ! rit le roi. Je suis enfin chez moi !

Après avoir retrouvé son bon vieux château et son trône, le

59

seigneur de Médiévalia con-
voque Alex et ses amis.

– Nous vous devons une fière
chandelle… Merci à vous tous !

– Père, débarrassons-nous du
Baron Noir une bonne fois
pour toutes ! intervient
Alex. Je ne peux plus le
voir en tapisserie !

Mais le roi n'est pas
de cet avis. Au moins,
grâce au baron, il ne
s'ennuie jamais.

– Allons jouter !
propose-t-il. Rien ne
pourra gâcher notre
Grand Tournoi. Et si tes

amis veulent participer… ce sera
avec joie ! C'est une occasion si
rare !

— Oh oui ! souffle Gene discrètement. Il y a un Grand Tournoi
seulement toutes les…

– … deux semaines ! termine Ruby. J'ai calculé, moi aussi.

Alex sourit.

– Oui, mais chaque fois, c'est…

– EXCEPTIONNEL ! prennent en chœur les quatre amis.

Fin

Lis la première aventure de

Attention aux dragons !

Table

PAPIER À BASE DE
FIBRES CERTIFIÉES

 hachette s'engage pour
l'environnement en réduisant
l'empreinte carbone de ses livres.
Celle de cet exemplaire est de :
250 g éq. CO$_2$
Rendez-vous sur
www.hachette-durable.fr

Photogravure Nord Compo - Villeneuve-d'Ascq

Imprimé en Espagne par CAYFOSA
Dépôt légal : janvier 2015
Achevé d'imprimer : décembre 2014
79.2230.8/01 – ISBN 978-2-01-401840-0
Loi n° 49956 du 16 juillet 1949
sur les publications destinées à la jeunesse

Table

PAPIER À BASE DE
FIBRES CERTIFIÉES

hachette s'engage pour
l'environnement en réduisant
l'empreinte carbone de ses livres.
Celle de cet exemplaire est de :
250 g éq. CO$_2$
Rendez-vous sur
www.hachette-durable.fr

Photogravure Nord Compo - Villeneuve-d'Ascq

Imprimé en Espagne par CAYFOSA
Dépôt légal : janvier 2015
Achevé d'imprimer : décembre 2014
79.2230.8/01 – ISBN 978-2-01-401840-0
Loi n° 49956 du 16 juillet 1949
sur les publications destinées à la jeunesse

Lis la première aventure de

Attention aux dragons !